KB103251

뽈락의 진미

뽈락의 진미

발 행 | 2024년 7월 2일
저 자 | 허덕만
편집자 | 허혜진, 전승민
삽 화 | 허혜진
펴낸이 | 한건희
펴낸곳 | 주식회사 부크크
출판사등록 | 2014.07.15.(제2014-16호)
주 소 | 서울특별시 금천구 가산디지털1로 119 SK트윈타워 A동 305호
전 화 | 1670-8316
이메일 | info@bookk.co.kr

ISBN | 979-11-410-9248-1

뽈락의 진미

허덕만 지음

뽈락의 진미

엮은이의 말

1부

기다리는 마음

딱히 달갑지는 않지만
달려드는 구름이 안기운다
달을 안은 구름은 달음을 친다

여름밤의 밝음을 가리운채
한아름 큰 뭉치 사슬을 풀면
밝음은 대지에 뿌려진다

한밤을 밝힘으로 서녘은 기울여 간다
별과 함께 구름과 함께
기다림의 지남과 함께

만월의 살찌움으로
서녘을 기울여 간다

재촉

해와 달은 낮과 밤을
숨바꼭질 하는데
강과 바다는
만남을 말없이 이루는데

저 모래알같이 많은 사람들
분주하기만 하네

해와 달은 강과 바다는
한없이 유구한데
사람 삶은 순간이라
바쁨이 순간을 먹고 사나 보구나

외로운 나그네

지나온 길 돌아보면
저만치 가까운데
남은 앞길 내다보니
한없이 멀구나
덧없이 흘러버린 의미 없는 삶들
의미 찾아 두 눈 밝히니
두렵기만 하여라
지친 몸 일으켜
엉금 엉금 외로움 벗 삼고
남은 길 떠나네

긍정과 부정의 언저리

긍정의 온유와 평온은
정감을 더하고
긍정의 이면은
어둡고 무거웁네

부정의 불안과 어두움은
초조를 적시고
부정의 뒷면은
희망의 빛이 스미네

어둠과 밝음을 먹고 사는
공간의 숨쉼들

뽈락의 진미

검붉게 입은 옷에
등지느러미 날 세우고
동그라미 검은 큰 눈
무리지어 헤엄치다
옳거니 낚시 미끼
잽싸게 물었다가
천당으로 날아갔네
아따 요놈
회 먹을 줄 아는구나
뽈락 대가리
생율 깨물 듯
벼락 소리 요란하네

철이 오면

번데기 속 애벌레는
때가 되면 성충되고
땅 속 미생물은
외로운 일 마다 않고
철철이 꽃 피워
벌과 나비 살찌우네
날 추워 얼음 얼면
동장군 춤추겠네

대나무의 포옹

무슨 사연 얽히어
마디 마디 섣는고

마디 마디 또 한마디
마디 마디 옮겨가니
몸맵시 날씬하네

시샘 많은 바람 와서
세차게 후려쳐도
그 바람 품에 안고
흔들 흔들 너그럽네

세월

오늘도 그 길 떠난다네
새벽부터 그 길을 달린다네
오늘도 내일도 끝도 없는 그 길을
왜 가느냐 물어보면
딱히 답이 없는 그 길을
무리지어 떠나가네

비 오고 바람 불어도
가는 길 마다않고
긴 세월 벗 삼아
무리지어 떠나가네

먹다 남은 時間

쓰다 남은 시간들은
미련 없이 저만치를 떠나가고
지금 시간 메달리어
턱걸이 힘들어라
먹음을 남기고 가야하는
남은 자의 귀한 이는
슬갑구나 애닯구나
이것이 생과 사의
時間이어라

만취

해야 해야 하늘 해야
어이하여 붉은 낙조 내 술잔에
잠드느냐

달아 달아 밝은 달아
너 어찌 내 술잔에
빠졌는고

어찌 아까워 취하겠소
깊어가는 평상 주석
익고 익어 한량없네

천년향

향기롭네
이 향이 진짜 향기
백년을 또 천년을 풍기는
은은하고 고귀한 색의 내음
철고리의 내음
긴 세월 묻어온 손 때의 내음
그 고귀함이 먹지 않아도
배부른 내음
이 향이 진짜 내음
세월 먹고 풍겨내는
이 향이 진짜 내음
골동의 내음이제

피고 지는 꽃봉우리

삶의 철학이 규범 속에 묻혀
잎새 피워 꽃망울 피우는
계절 맞은 영혼이여

나 생각대로 피고 지는
희귀 이고 싶어라

맺기까지의 영혼이
아름다움이어라
그 순간 영애롭고 보람되고

희망 가득 청춘기요
맺고 나면 빛바래기 그지없어라
시든 꽃잎 떨어지니
서산 노을 물들이는 황혼이어라

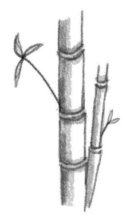

2부

술의 神

백열등 싸늘하니
너의 빛 너무 맑아
시리도록 차갑구나

한 모금 들이키어
몸뚱어리 불붙이고
또 한 모금 들이켜
온기 느껴 몸 녹이니

네 놈이 나를 잡네
네 놈이 진짜로다
황홀경에 빠져 깊어가는 육신
뜬구름 두둥실
높이 높이 두둥실

매달린 천년을 녹이는 허무

그렇게 왔으리라 모르고 왔으리라
천년을 녹고 녹여 오늘을 탐하고
또 내일을 구하리라
엮여진 세월은 그렇게 하루에 허물리고
구름에 달 가듯 달음을 치는 하루
그 하루가 그리우리라
스님은 산에서 영혼을 닦고 닦아
범종의 울림에 태워 가벼이 우주로
그곳이 극락
하루가 세상이 내일이 두려운 영혼은
천둥소리에 영혼을 태워
오늘을 내일을 아쉬워하며 가리라

황무지에 피운 꽃

몇 대나 지났을고
토분만 남겼으니
얼마나 많은 손길 거쳤을고
돌멩이 주워 낸 손
그 손길 있었으니
고운 흙만 남아
고운 향기 풍기네
그 고운 흙에 씨뿌려 오늘을 키운다
건강한 옥토에 풍성한 수확이 있듯이
오늘도 이마에 땀방울 흘리며
지나간 날의 삶속에 진한 흠모의 정을 느낀다
혼신의 정열로 피워 가꿔낸
황무지 들녘을 ...

하루 낮

한낮을 항해한 하루 해는
겨울 서산 위에
주황색 덩어리로 걸렸네

붉게 물든 석양 빛을 토하며
하늘 바다 물들이고
허기진 저 너머로
말랑 말랑 넘어가네

땅거미 마중 나온
검뿌연 장막이
다음 날 새벽 마중 느긋하겠네

竹

나는 키 크기 선수

이파리도 많지요

우후죽순 생겨나면

한철에 다 크지요

나를 누가 가뒀을고

사군자 속에 가둬놓고

한결로만 살라 하네

강직하게 살라 하네

무리의 이반

똑같은 푸름 먹은 이파리
한 여름 듬뿍 먹고 녹음 푸르네
사철나무 이웃 생겨
푸름 더해 푸르르네

가을 드니 떠나가네
울긋불긋 물들이며
푸름을 떠나네
사철이웃 남겨두고
낙엽되어 떠나가네

구름자리

흘러가는 저하늘 구름아
너는 너 가는 곳 몰라도
나는 너 가는 곳 알아야
높이 날아 넓은 곳 다 보아도
너 보는 곳 내 눈 속에 머무르네
너 안은 곳 강물 품에 머물렀네

아침 안개

하늘이고 싶어라
바다이고 싶어라
가끔씩 만나고는
어느 사이 흩어지고
바람들 시샘하고
태양도 질세라
이른 아침 생겨났다
해가 뜨면 사라지는
그림자 없는 이름이여
그 이름 아침 안개
앞도 뒤도 벽도 없는
그 이름 아침 안개

내가 만든 메아리

시냇물 흐르는 소리
빗방울 낙수 소리
깊은 산 이름 모를
작은 새
울음소리는
웃음소리요

고함 소리
바람 소리
천지를 진동하는
천둥소리는
성화 소리어라

웃음 소리 메아리
성화 소리 메아리
울고 웃는 메아리는
내가 스스로 만든..

同志

어떻게 생겨 났을고
陽地쪽 가는 길
누가 다녀 갔을고

한번 난 그 길
天國가는 길인냥
그 길로만 지나네

새길 나면 그길로도 가려는고
발 가는 대로 가다 보면
늘 가는 그 길이
내 길이지 그 길이 永遠하리

무인도

긴 세월 풍파 반겨
돌 병풍 둘러치고
갈매기 울음소리 장단 맞춰
동백 군락 이뤘구나
쪽빛바다에
아담히 몸 담가
괴암 절벽 다듬고
숲 조경 분단장 곱게 가다듬고
천하 태평 꿈꾸는
이름 모를 섬이여
그 이름 무인도여

짬

똑닥 똑닥 역사를 만들었네
하는 일 단순해도
나 필요한 이 수도 없네

똑닥 똑닥 갸날프기 한량없네
그래도 긴 세월
여기까지 끌고 왔네

똑닥 똑닥 영생 불사
너 붙잡을 세상없네

오늘도 똑닥 똑닥

3부

무적

흐르는 저 강물을 돌릴 수는 있어도
막을 수는 없으라

쏟아지는 잠 몰아치는 이 잠은
돌릴 수도 막을 수도 없구나

무거워라 세상에 무거워라
눈꺼풀만큼 무거우랴

꿈을 꾸고 어둠 따야
그 무게 날리우제

분출

울컥 울컥 타고난 성격
격분하여 발화하면
제 마음 평정 찾아 눅지만은
어찌할고 어찌할고
그 언성 쌓여 쌓여
억급쌓여 어찌할고
바보되라 묵언수행
흉내라도 내어보자

매화

한기를 먹고 잠에서 깨었느냐
어찌 추위 마다 않고 눈꽃 둘러업고
너 줄기 기름기에 젖었느냐
그 철을 보내기 아쉬워
수줍음 피웠느냐
이른 봄 부끄러워 향기마저 숨겼느냐
망울 망울 봄볕 쬐며 피었다가
방울 방울 열매 맺고
잎새 틔워 꽃잎 거두었네

뚝배기

보글보글 부글부글
절정에 이른 뚝배기의 분노
된장의 설 찧은 콩낱들이 춤춘다

흰 두부도 뒷짐지고 어깨 들썩
뚝배기 진국 튀진 않지만
그 맛이 진국이라

우리 부부 금슬 뚝배기만 같아라

담배 연기

기다림에 겨워 피워 문 담배
한 모금 주욱 당겨
폐부 깊이 들이켜
휴 하고 내 품어
지쳐 쌓인 스트레스 연기 태워 날리우고

뭉개 뭉개 타오르는 담배연기
아물 아물 피어오르네

두 손가락 붙들려서
두 입술에 붙들려서

그 한몸 불덩이되어
연기로 사라지네
속절없이 불살리네

허수아비의 마음

온 종일 찌는구나 그 뜨거운 볕
찌그러진 밀짚모자 그늘에 서서
험상궂은 가면 쓰고 새 쫓으려 종일 섰네

쫑곳 쫑곳 흰 꽃 물고 열매 얼굴 피우더니
어느새 내 도움 받은 만큼 알곡을 키웠구나

너 지키려 내 몸 찢기고 허물어져도
너 여물어 숙일 때까지 눈물 흘려 논물대리

어서 먹고 여물어라 여름 태풍 견디려면
쉬지말고 먹어야제

걱정마라 걱정마라 태풍 오면 막아줄게
이 한몸 쓰러져서 네들 풍년만 들어준다면
내년에도 내 오리다 기꺼이

본래 제자리

자갈돌은 바윗돌 보고
부러움 가득하고
모래알 자갈 부러워라

세월가면 맞닿을 곳 한곳인데
먼저냐 나중이냐
지금 그곳 제일이랴

강모래 파도자갈
발끝 나뒹구는 돌멩이라도
지금 머문 그 자리가
제자리 인 것을

잔치집 다녀오면

울 할매 잔칫집 댕겨 오실때면
손봉지 꼬옥 쥐고 지팽이질 바쁘네

울 할매도 입있고 눈 있어서
맛있는 것 먹고 풀 텐데
내 손주 눈에 밟혀
손봉지에 다빼끼제

할매 할매 울 할매야
정갈한 울 할매야
동백기름 참빗 빗고
비녀 꽂고 다녀오네

비

타는 목마름으로
대지는 갈대로 갈아있고
봄의 전령 또한
막바지 겨울 적심을 기다리네

잘 짜인 시나리오
음산한 조명으로 천지는 뒤덮이고
관중을 실어온 바람은
저만치 꼬리를 감추는구나

이제 적심을 극취하라 적심을
맘껏 연출하여라 하늘아 구름아

치유

반김의 진심이 아름다워라
반김 없는 만남은 의미를 잃고
바랜색 또한 흐림만이 남았으라

아침의 기다림
계절의 기다림
아름답고 희망찬 기다림의 맞음은
티 없이 고귀하고 정겨운 축복이어라

나는 오늘도 어귀에 서서 반김을 기다린다

돛과 닻

깊은 듯 더 높은 검은 하늘 바다에
반짝이는 별들이
닻을 놓고 속삭이고

초저녁 돛을 단 둥근 달이
밤이 깊어 밝음을 더 발해
세상을 밝히는 밤

어둠이 겹친 기슭 속에는
밤 짐승 배불림에 여염이 없는 밤

순풍에 서녘으로 기울이는 밝음
돛과 닻이 올리고 내릴 때까지

고독

다 떠나니 허무한 밤
다 떠나니 고요한 밤
그렇게도 분주하던 하루가
해를 다 녹여 먹고 나서야
꼬리를 감추는구나
밤새워 기를 모아
또 내일 녹이겠지

먼 하늘엔 별빛이
바다 건너 도심에는 불빛이
발 앞 바다에는 어선들의 불빛이
고요와 허무를 보듬어주네

목로주점

오랜 벗 만나 들린 집
그 집 또한 오랜 벗집
서로는 더 두터움 상관없이
어울려 한량없네
서로는 서로의 가치로 얽히어
시간을 맘껏 썰어 날리운다
서로는 술잔을 더 높인다
가득히 거하게 들이킨다
뱃속에 친한 벗 채워 안는다
가득히 포근히
안긴 벗 답례하네
술도가에 맴도는 나의 영혼을
밤새 몽롱의 세계로 인도하네
망상의 세계로 서로 안고 들어가네

雲命같은 運命

천지조화 생김이 구름이려오
바람 불면 흘러가고 흩어지고
고요하니 머물러 하늘바다 어우르네

천지조화 생김이 인생이려오
세상을 스쳐 지나가는 인생이
세상에 머물렀다 세상을 등지고

바람같이 구름같이 스쳐흐르니
運命이려오
구름 같은 인생이려오
雲命인가 하노라

나를 안은 島

섬놈이 섬에 녹아든다
가슴에 큰 섬이 생겨난다
안개가 있고 잠잠함이 있는가하면
엄청난 성난 파도 거센 바람
강렬히 내려쬐는 햇살 아늑함
저녁이면 짙어지는 노을 빛
밤이면 들려오는 잔파도가
마음을 다독이는 섬

섬놈이 섬에 애착을 느낀다
깊고 푸른 바다가 손짓한다
그 바다는 언제나 놈을 반겨
깊은 숨 갈아쉰다
마음의 섬이 눈앞의 섬이
내 고향 그 섬이 언제나 나를 숨겨준다

불의 축제

불빛 찾아 날아드는 밤나방 춤을 춘다
밤을 잊은 풀벌레도 덩달아 춤을 춘다
불빛 찾아 날아드는 형형색색 신비롭다
밤을 찾는 날개들은 쉬지 않고 불을 안고 돈다

비록 짧은 삶일지라도
한밤의 축제로 생을 마감할지라도
밝은 불빛 질 때까지 춤을 춘다

이슬에 젖은 날개 무거워
바닥에 떨어져도 그 밤을 즐긴다

아름다운 무늬옷 입고
불빛에서 생을 마감할지라도
불을 안고 축제를 즐긴다

윤회의 사계

아가의 해맑은 웃음과
뽀송하고 부드러운 피부는
새싹을 움 틔워 가녀린 꽃을 피우는 봄

사춘기 청춘들의 넘치는 에너지와 속삭임은
푸름을 발하여 신록을 살찌우는 숲의 계절 여름

중후한 멋이 흐르는 장년기
세파에 맞서 견디어 내는 힘과 끈기로
열매와 일을 익혀
매혹의 원색으로 물들이는 가을

냉기와 바람으로 앙상함만 남기어
그 자리에 우뚝 서서 모두를 토양에 돌려보낸
비움의 노익장 겨울

인생과 사계는 돌고 도는
떠돌이라네

후회

언제나 가는 길은 하나인데
왜 그길 돌아가려 하는가
옳은지 그른지도 모르면서
막무가내 질러가네
한동안 가다보면

아차!
되돌리기 어려운 길
왜 이 길을 왔을고
이 길이 내 길이니
돌아간들 뭐할소냐

**"긴 여행을 떠나신 장인어른의 시작(詩作)들 중
일부를 담았습니다"**

새싹 틔고 꽃을 피우는 봄
푸름을 발하고 신록을 살찌우는 여름
열매와 일을 익히는 가을
앙상하지만 비움의 노익장 겨울
인생과 사계절이 결국 같다는 시구절을 떠올리며
장인어른의 정갈했던 삶의 모습을 기억하고자 합니다.

- 승민 -

"오랜 병고에도 언제 이렇게 많은 시를 남기셨을까"

불교에서는 인생을 고해(苦海)라고 합니다.
세상의 모든 시간을 내 것인 것처럼 여기지 않고
고해의 바다를 사랑하면서
기쁘게 헤쳐나가길 바라는 마음을
이 시들을 통해 전하신거라 생각합니다.

- 혜진 -

2024. 7